汉史晨碑

隶书集字对联

徐方震 编

上海书画出版社

出版说明

学书者，在从碑帖临摹转向书法创作过程中，最便捷的方法之一就是通过集字的方法，在原碑帖中既找出现成的所需之字，又利用原帖中字的偏旁部首、点画规律进行组合，写出原帖中未有的字；而在内容的选择上，则最好从字数相对少些的作品内容入手，这样既便于集字，又比较容易进行章法安排，从而增加自己的创作信心。

“中国对联集字字帖系列”正是基于上述两个方面，为广大书法爱好者，特别是初学者精心编辑的一套实用集字帖。它精选了中国文学史上四十多对脍炙人口的对联，按字数多少和难易程度为编写顺序，以《史晨碑》《九成宫醴泉铭》《颜勤礼碑》《玄秘塔碑》等经典碑帖作为集字的范本，这样可以使学书者由临摹较快地向创作过渡，起到事半功倍的作用。这套集字帖还有两个特点：一是提供了一些对联创作的基本图式，这样既丰富了对联创作的章法安排，又能让书写者体会到不同图式所带来的不同感受；二是在每对对联中分别选出八个字放大位于各对联的右侧，使学书者能在正式创作前，对其中比较难写的字先进行重点临习，以提高创作的成功率。

我社已编辑出版另外两套集字字帖系列——“中国古诗集字字帖系列”和“中国古文集字字帖系列”，这三套字帖系列互为姐妹关系又各有侧重点，为广大书法爱好者提供了一条循序渐进的、比较完整的正书和隶书创作引导之路。

本书是我们运用计算机进行字帖编集的一种尝试，其中或有不妥之处，诚恳希望广大读者不吝赐教，以便我们把工作做得更好。

目　录

澹泊明志
寧靜致遠

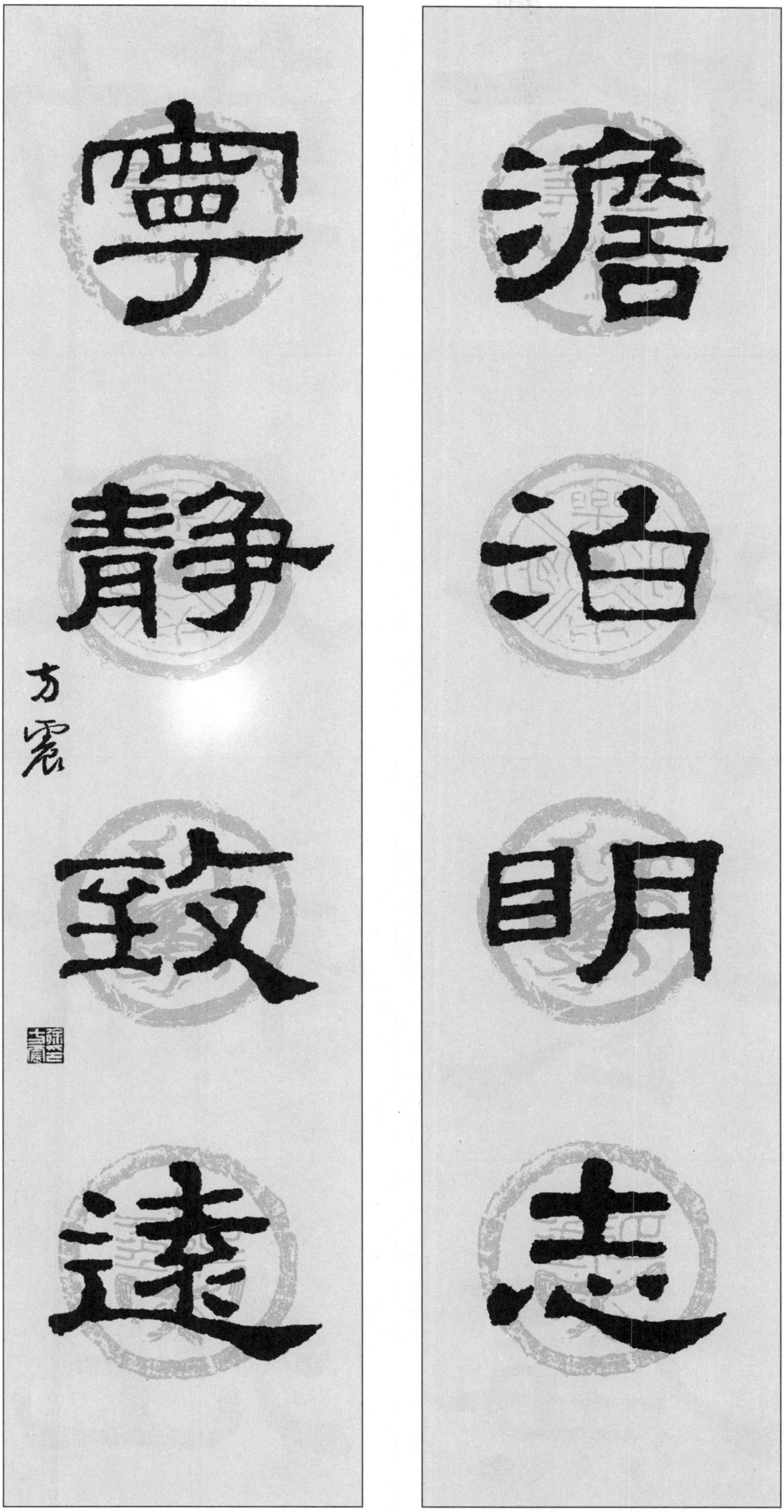
澹泊明志
寧靜致遠
方震

勤能補拙
儉以養廉

勤能補拙
辛巳年秋月
儉以養廉
徐方震集

天增歲月
春滿乾坤

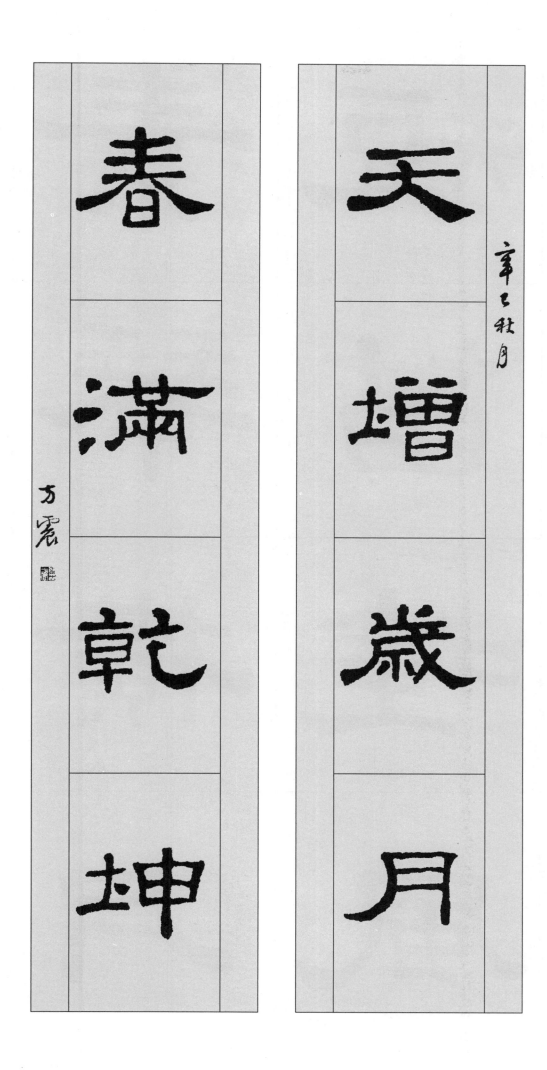

天增歲月

辛巳秋月

春滿乾坤

方震

素琴横月

短笛唫風

素琴橫月
短笛唫風
方震

高懷見物

理和得真

高懷見物理
和氣得天真
方震

平生直道
大化仁風

平生懷直道
辛巳年秋月
大化養仁風
徐方震集

琴伴庭前

衣無水塵

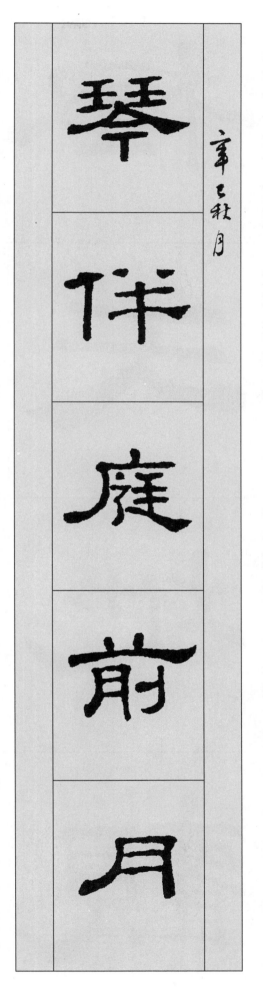

琴伴庭前月

衣無世外塵

辛巳秋月

方震

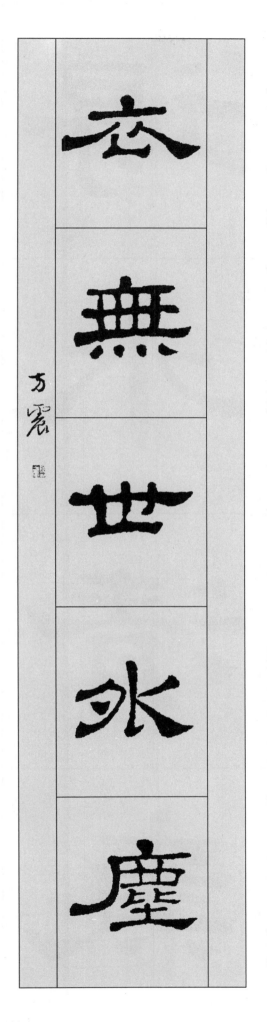

得水清氣
極天地觀

得山水清氣
辛巳年秋月

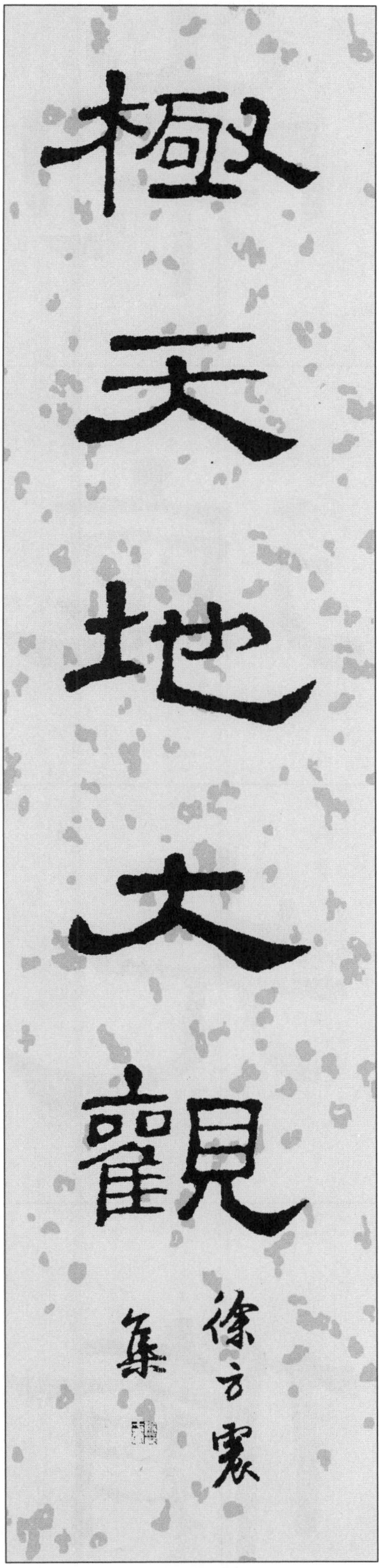
極天地大觀
徐方震集

崇德先循
當仁讓師

崇德先脩己
當仁不讓師
方震

竹
雲
愛
益

松
静
延
年

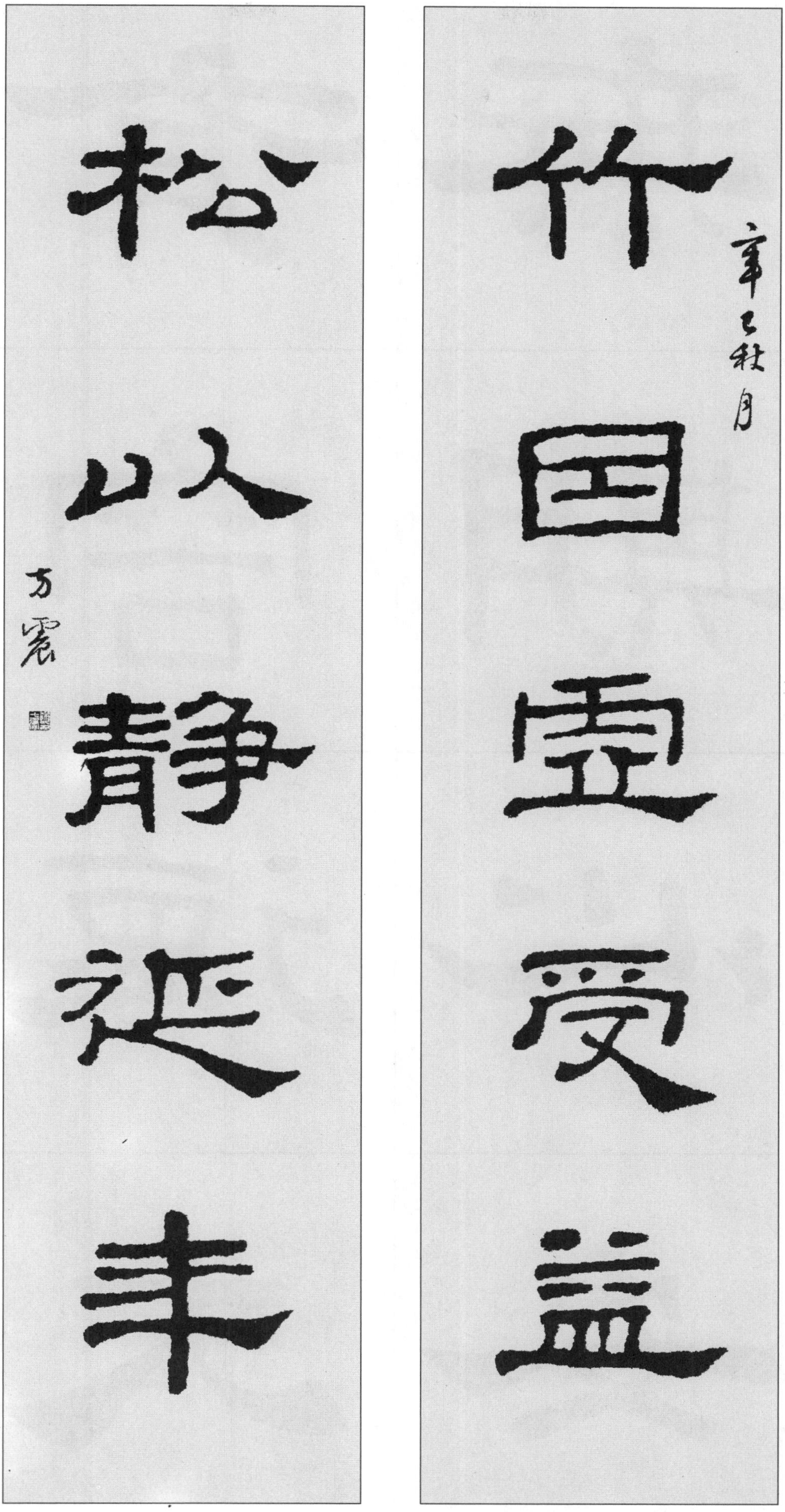
竹因虚受益
辛巳秋月
松以静延年
方震

有宮德大

無期必安

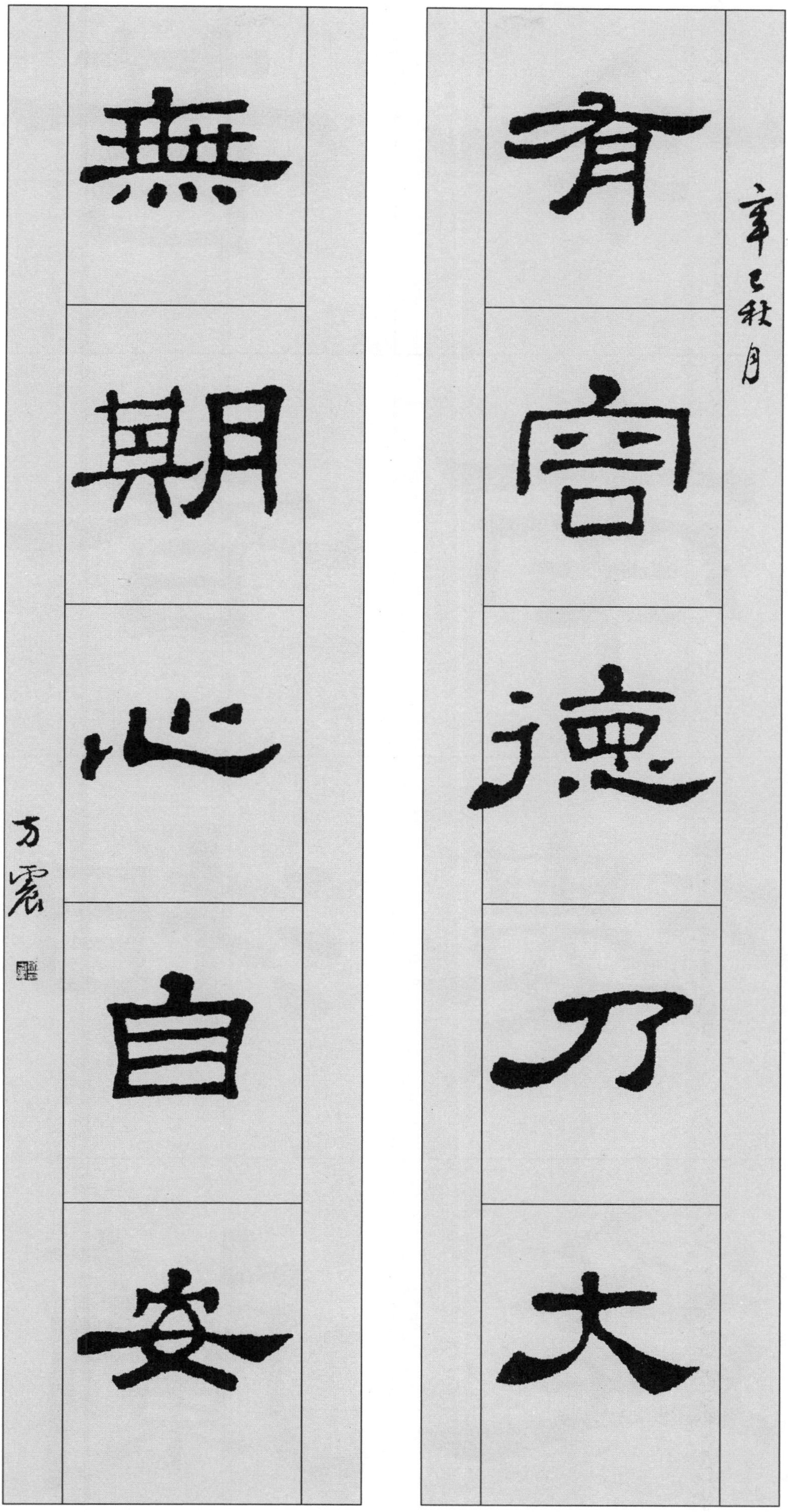
有容德乃大
辛巳秋月
無期心自安
方震

昔者湘蘭

今南樓逢

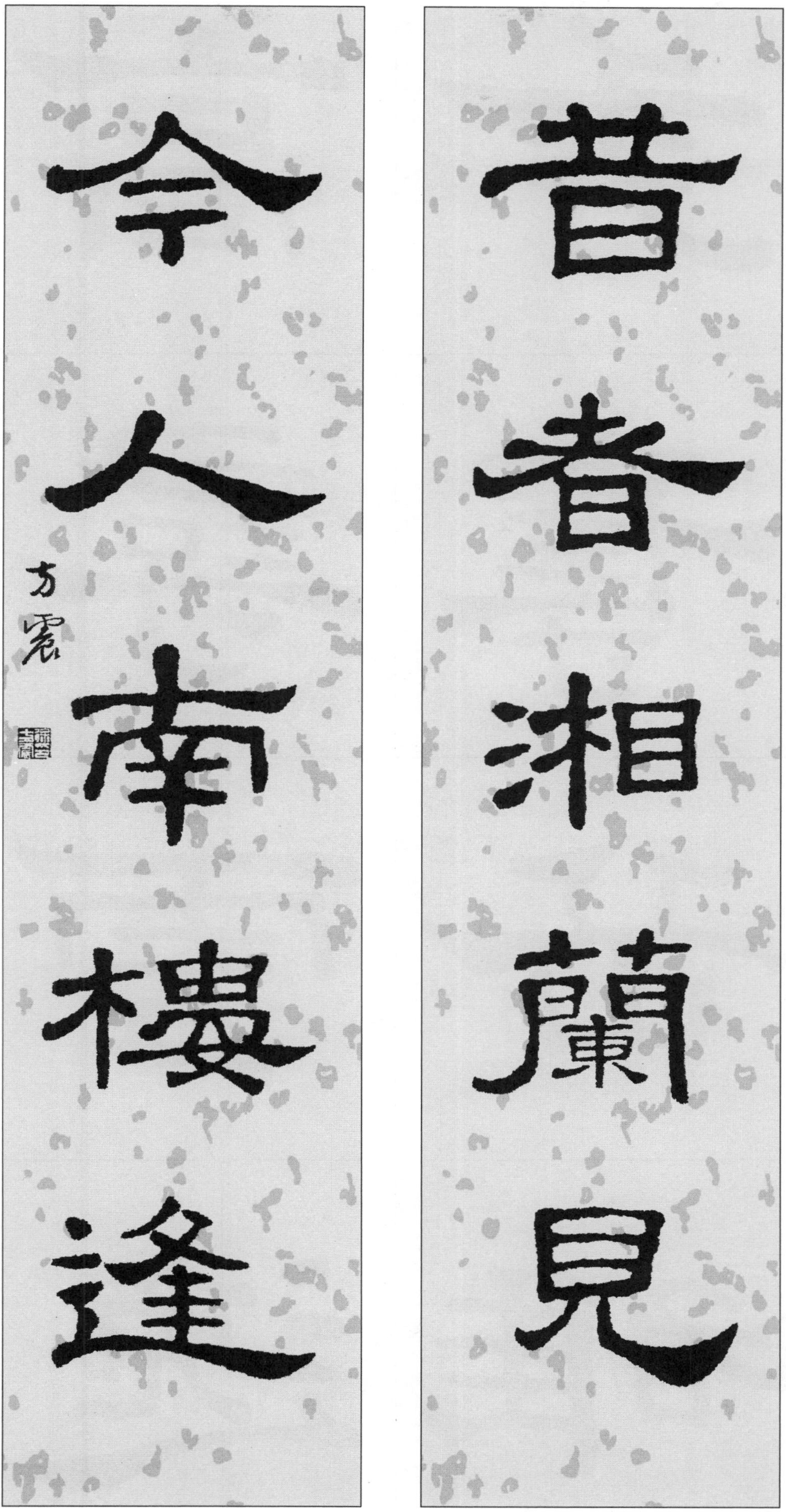
昔者湘蘭見
今人南樓逢
方震

高亭雲逸

秀奪岳雄

高尋白雲逸
秀奪五岳雄
方震

讀書滋逸
閱益豪情

讀書滋逸氣
辛巳秋月
閱世益豪情
方震

興家勤儉
高壽宜孫

興家必勤儉
辛巳年秋月
高壽宜子孫
徐方震集

青松多色
白石常衣

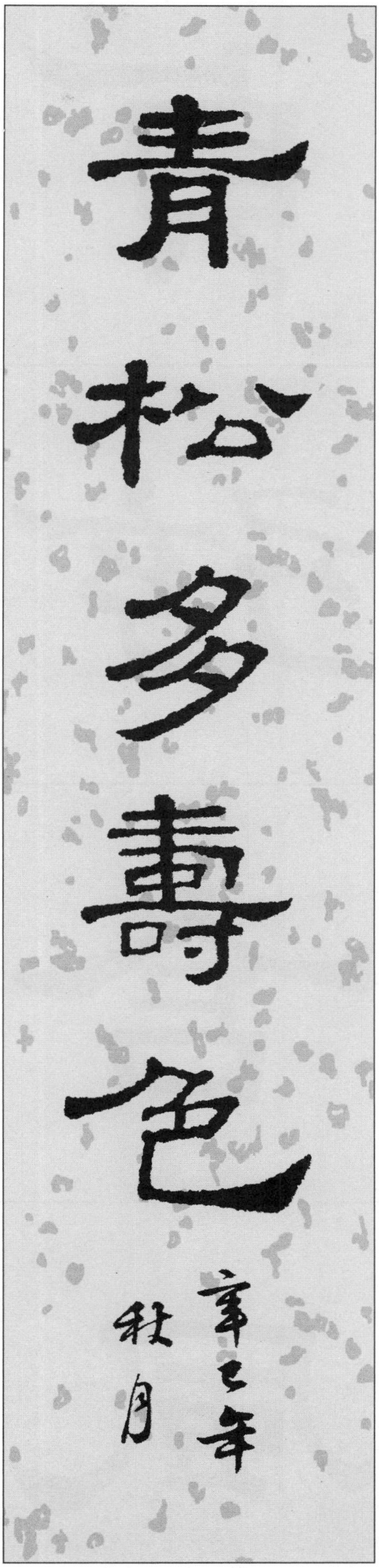
青松多壽色
辛巳年秋月

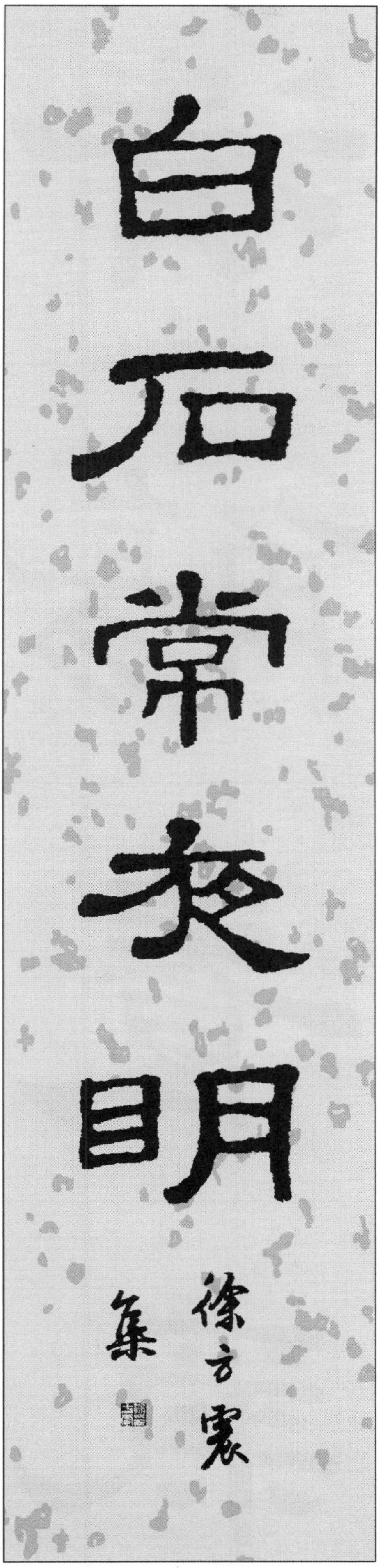
白石常夜明
徐方震集

清觴養氣
貞弴含風

清觴養真氣
辛巳秋月
貞弦含古風
方震

坐常思過
閑談莫論

靜坐常思己過
辛巳秋月
閑談莫論人非
方震

雅詩執禮
益友諒聞

雅言詩書執禮
辛巳年秋月
益友直諒多聞
徐方震集

滄懷風朗
量海闊空

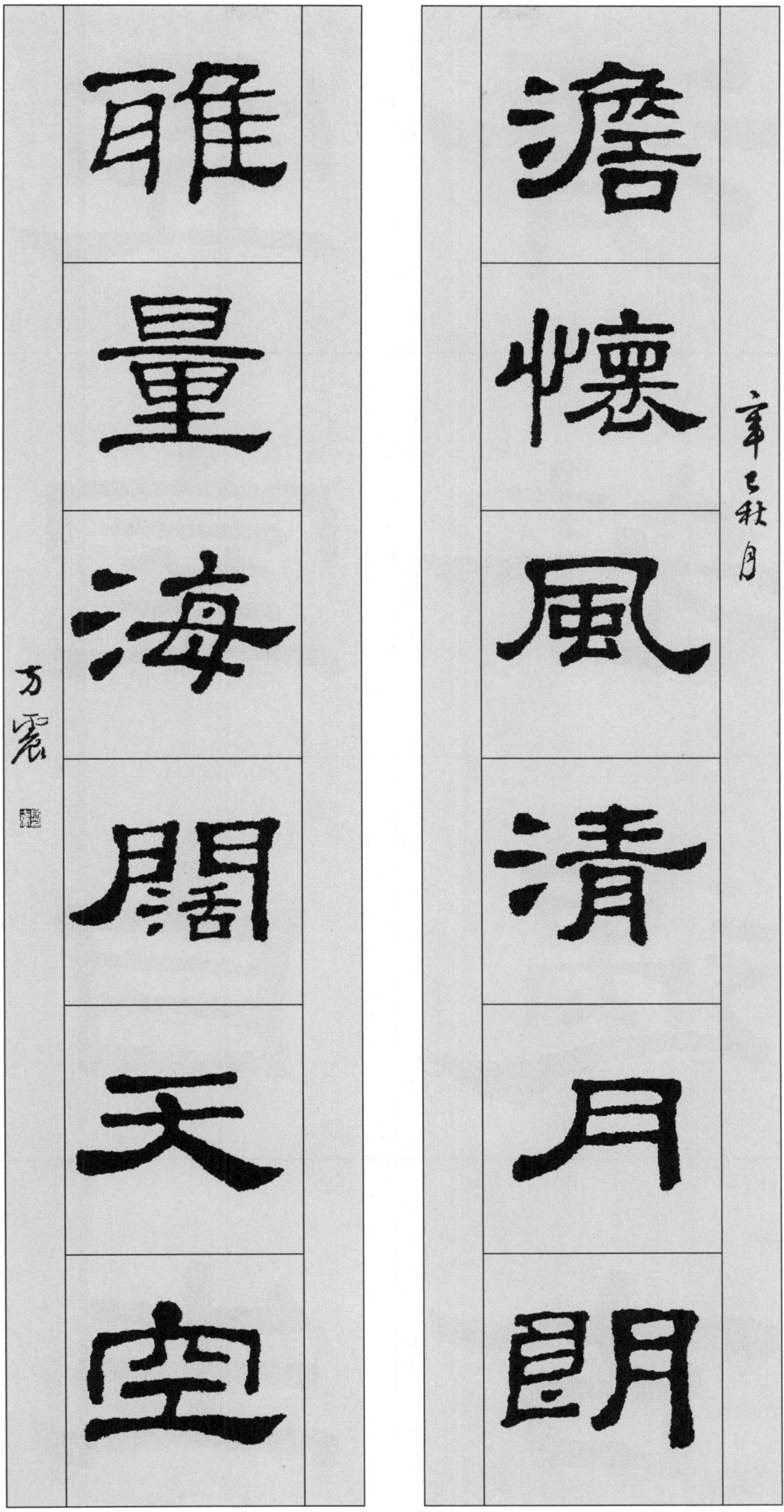
澹懷風清月朗
辛巳秋月
雅量海闊天空
方震

虚室自生
清若遇古

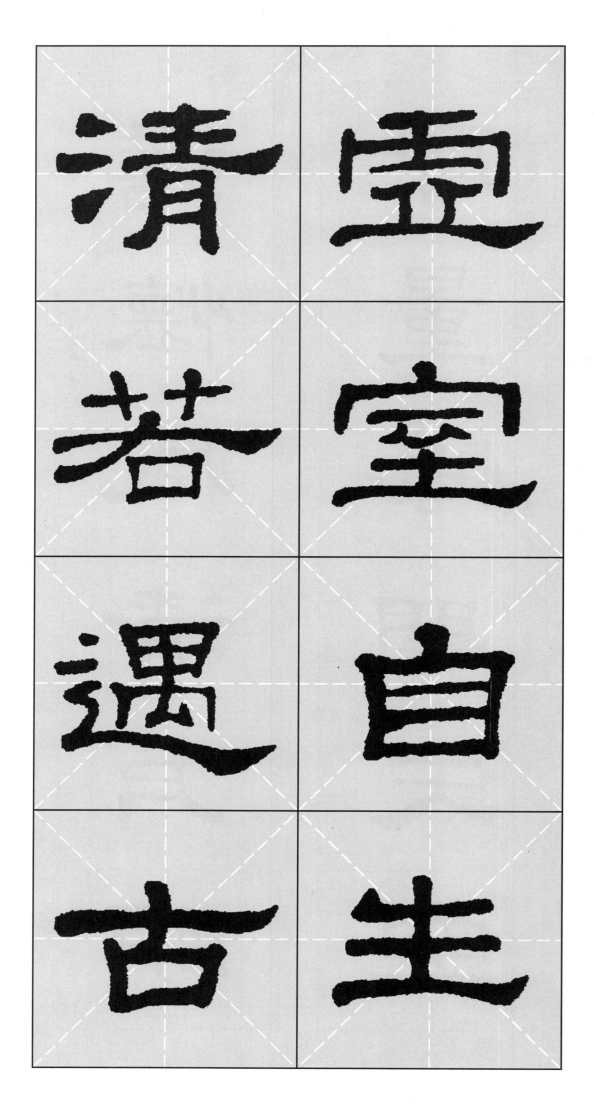

虛室自生靜氣

清風若遇古人

方霞

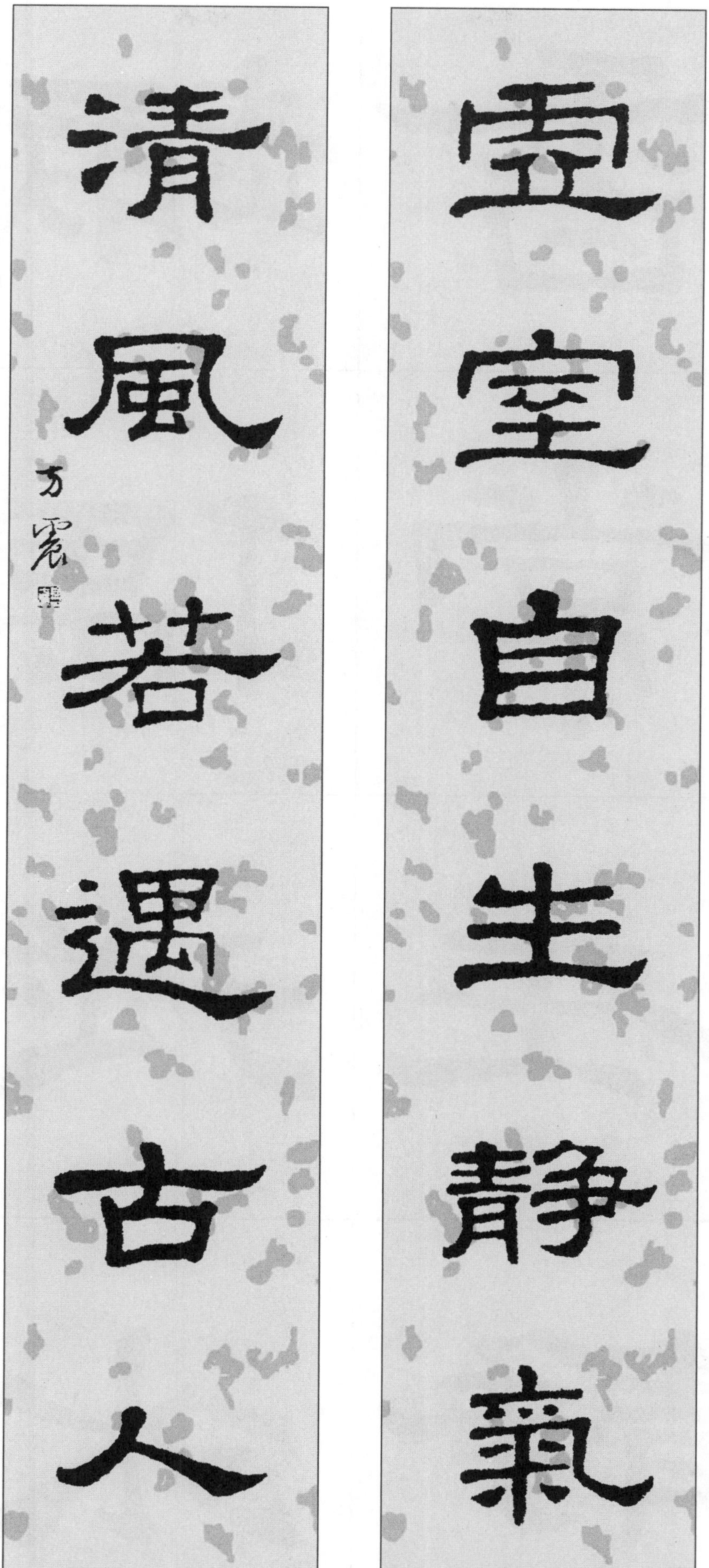

趣偶逆水

香常在静

天趣偶從言外得
辛巳秋月
古香常在靜中生
方震

言之於理

道令惟其

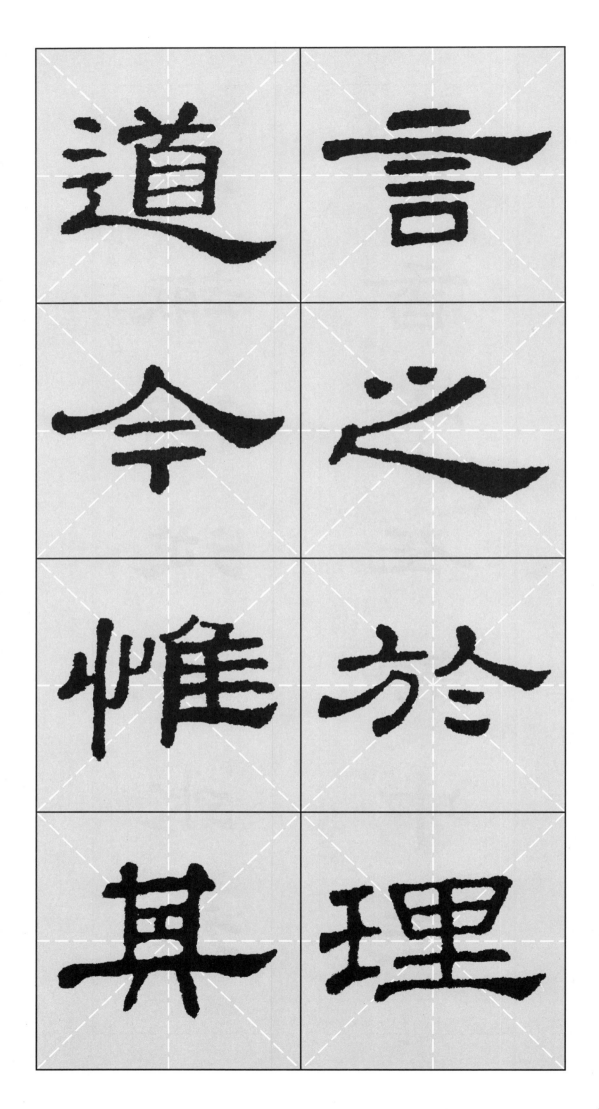

言之高下在於理
辛巳年秋月
道無古今惟其時
徐方震集

書要詩讀
琴無聲聽

名畫要如詩句讀

辛巳秋月

古琴兼作水聲聽

方震

坐蘭室趣
游帶竹林

静坐不虚蘭室趣
清游自帶竹林風
方震

疏
蕪
華
影
細
雨
春
煙

疏簾華影三分月
細雨春林一半煙

退筆足珍
萬卷始通

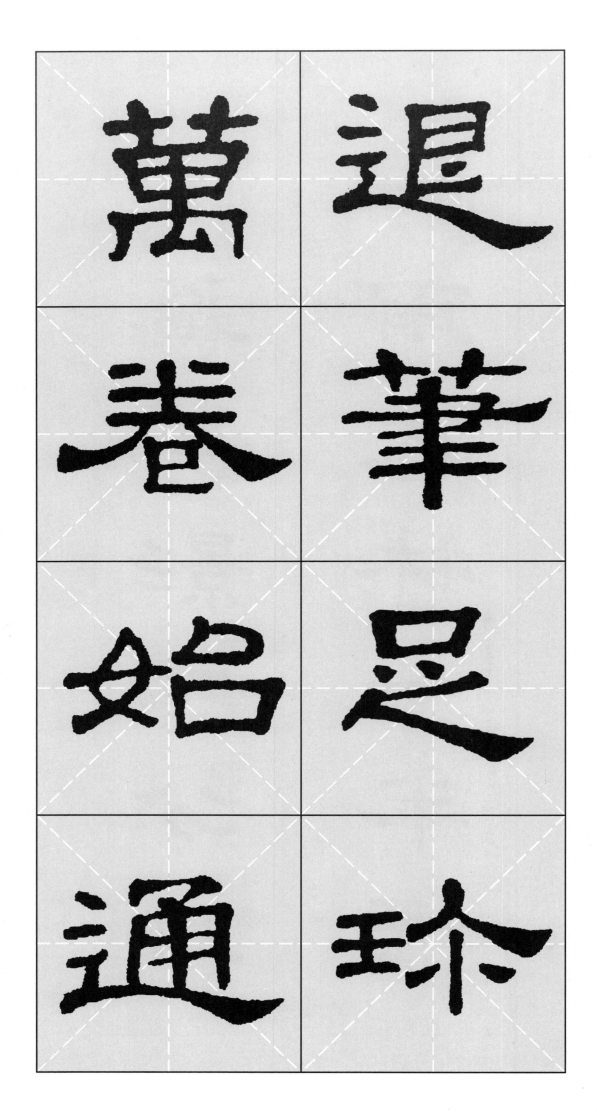

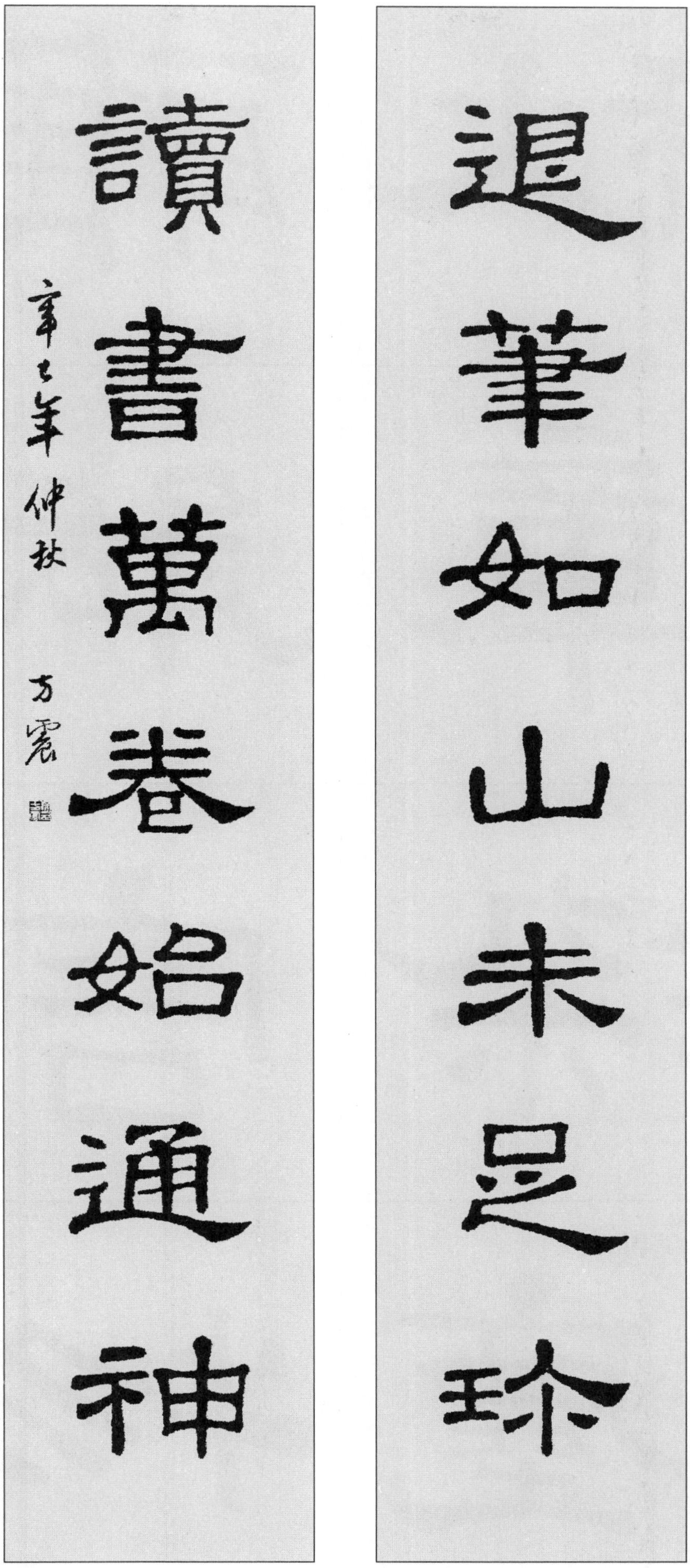
退筆如山未足珍
讀書萬卷始通神
辛巳年仲秋
方震

雁能宫物
秋章涂塵

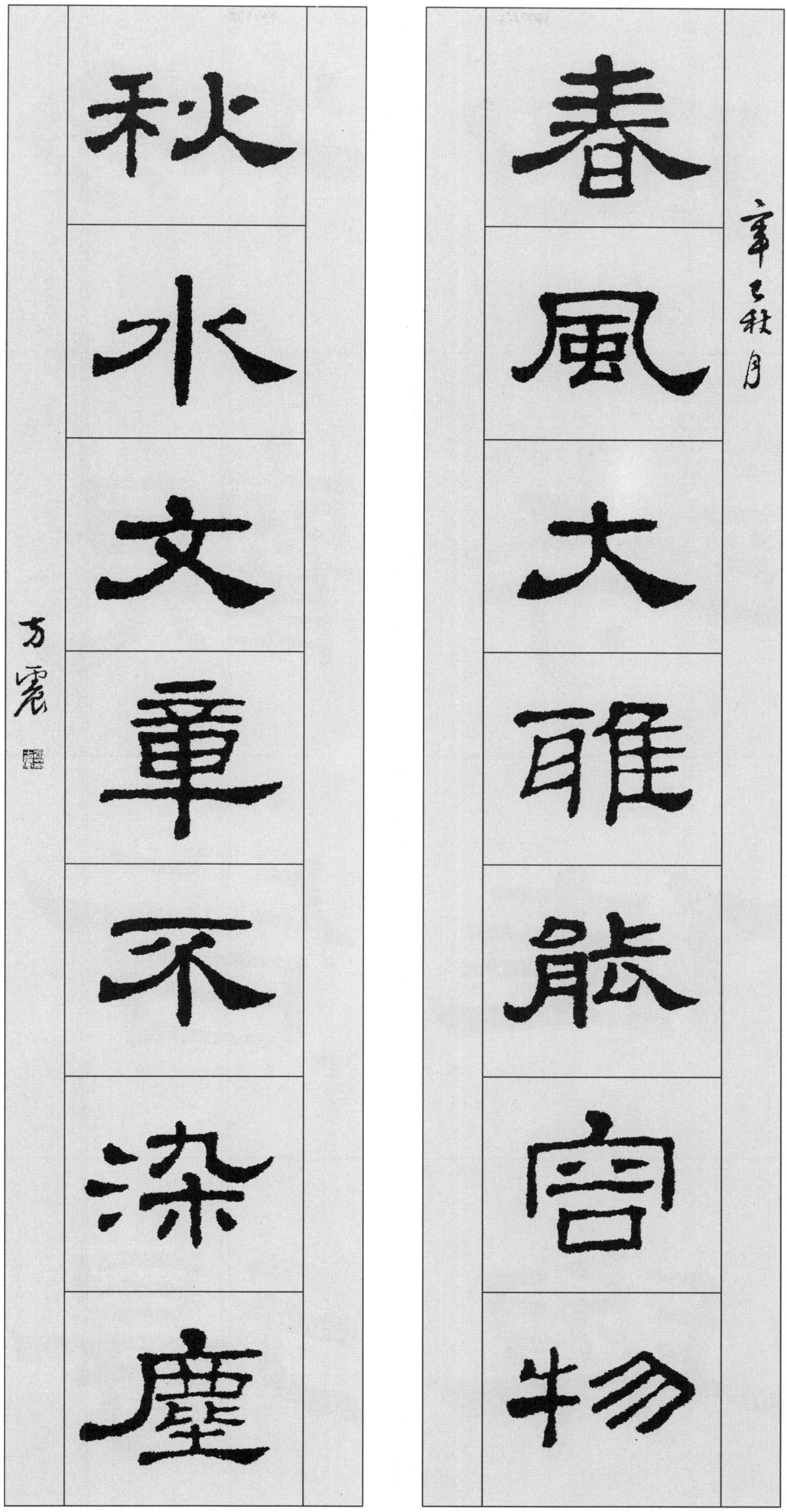
春風大雅能容物
秋水文章不染塵
辛巳秋月
方震

物觀皆得

四時佳與

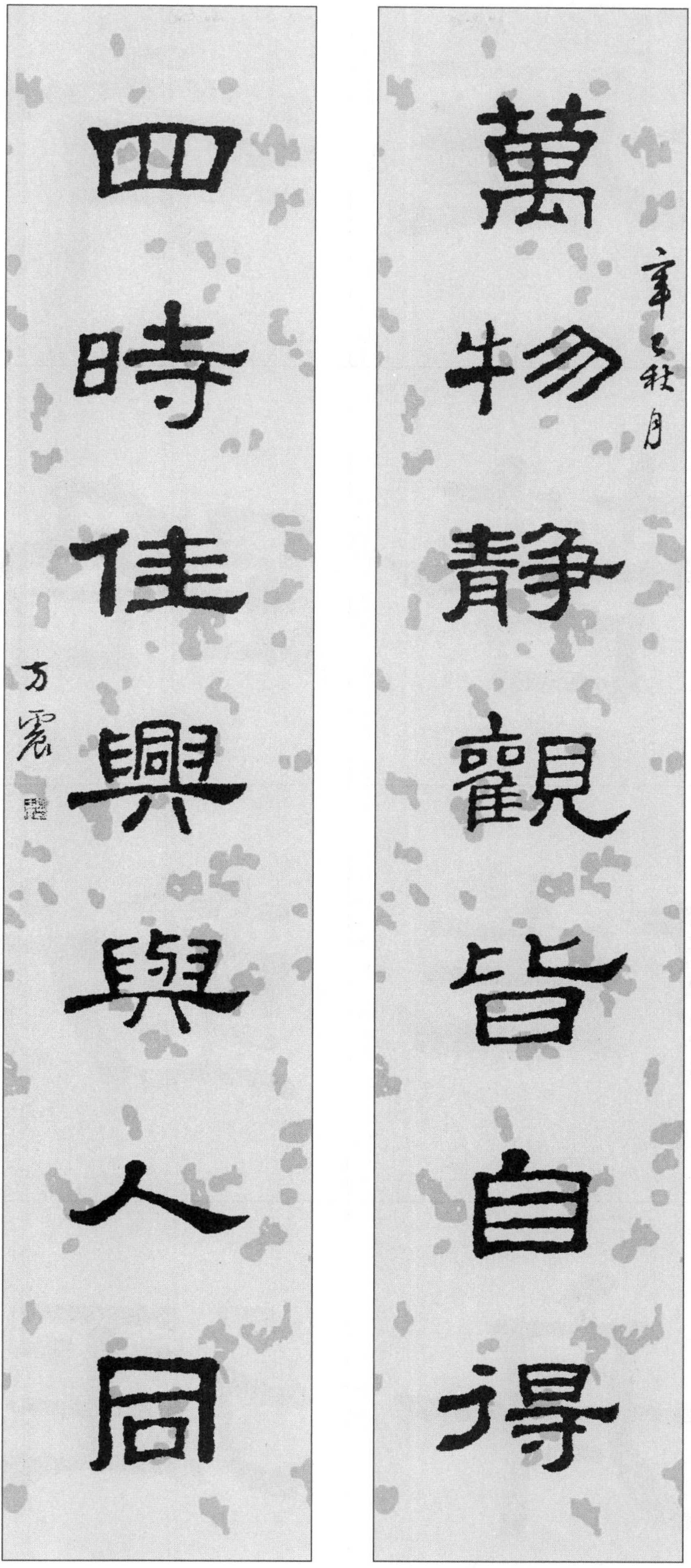
萬物靜觀皆自得
辛巳秋月
四時佳興與人同
方震

有
路
勤
径

涯
苦
作
舟

書山有路勤為徑
辛巳秋月
學海無涯苦作舟
方震

風吹晴照
沙夏夜霜

風吹古木晴天雨
月照平沙夏夜霜
方震

事能心樂
到無求高

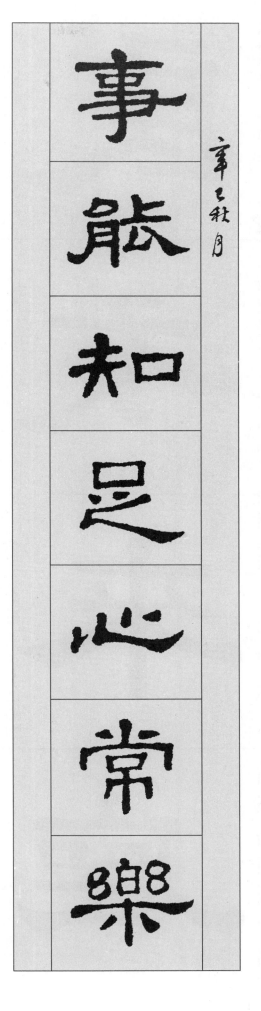

事能知足心常樂

辛巳秋月

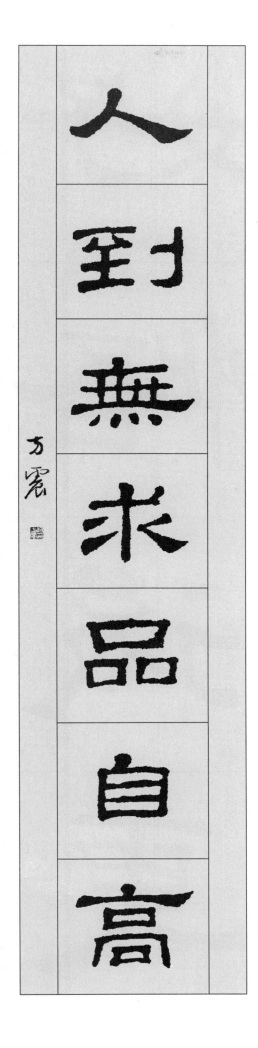

人到無求品自高

方震

好悟後更

良友來座

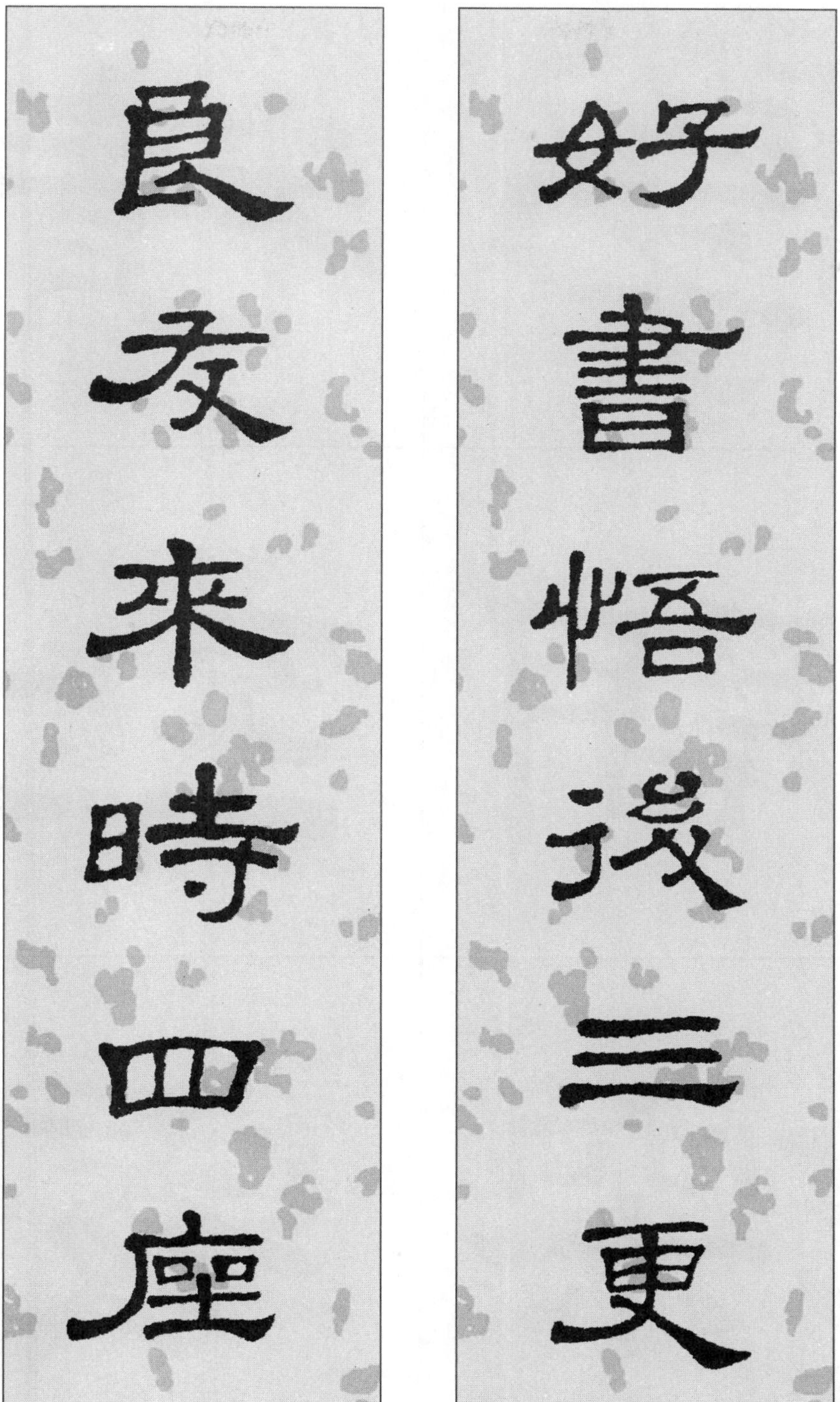
好書悟後三更月
辛巳年秋月
良友來時四座春
徐方震集

精到家老

學問深意

精神到處文章老
辛巳年
學問深時意氣平
方震

領
乘
破
浪

廿
面
壁
年

願乘風破萬里浪
辛巳秋月
甘面壁讀十年書
方震

近樓臺先

向陽為春

近水樓臺先得月

辛巳秋月

向陽華木易爲春

方震

里遠古事意中分滿

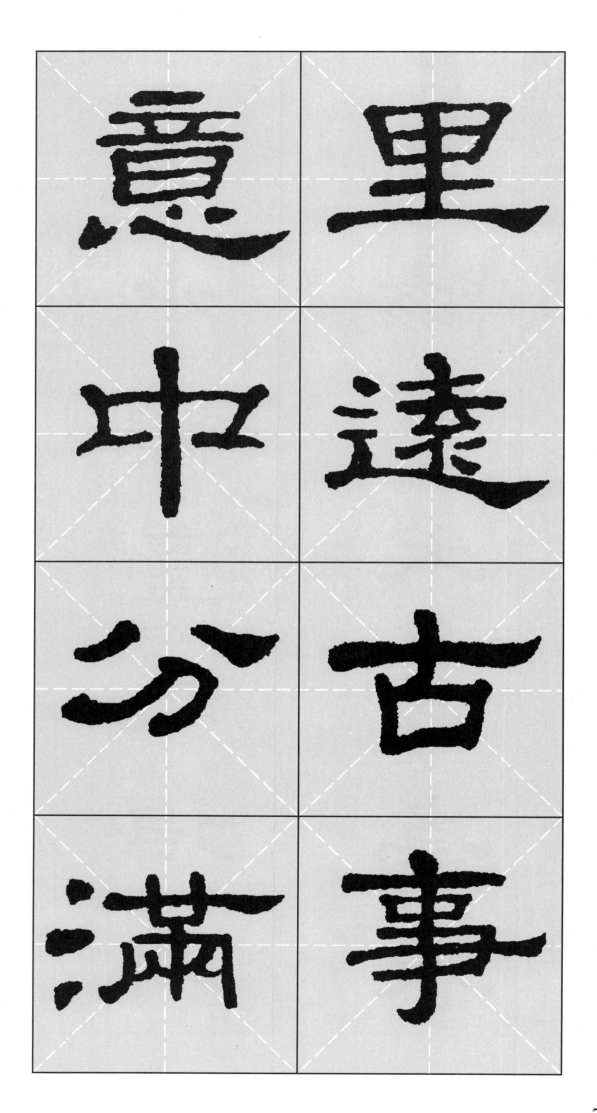

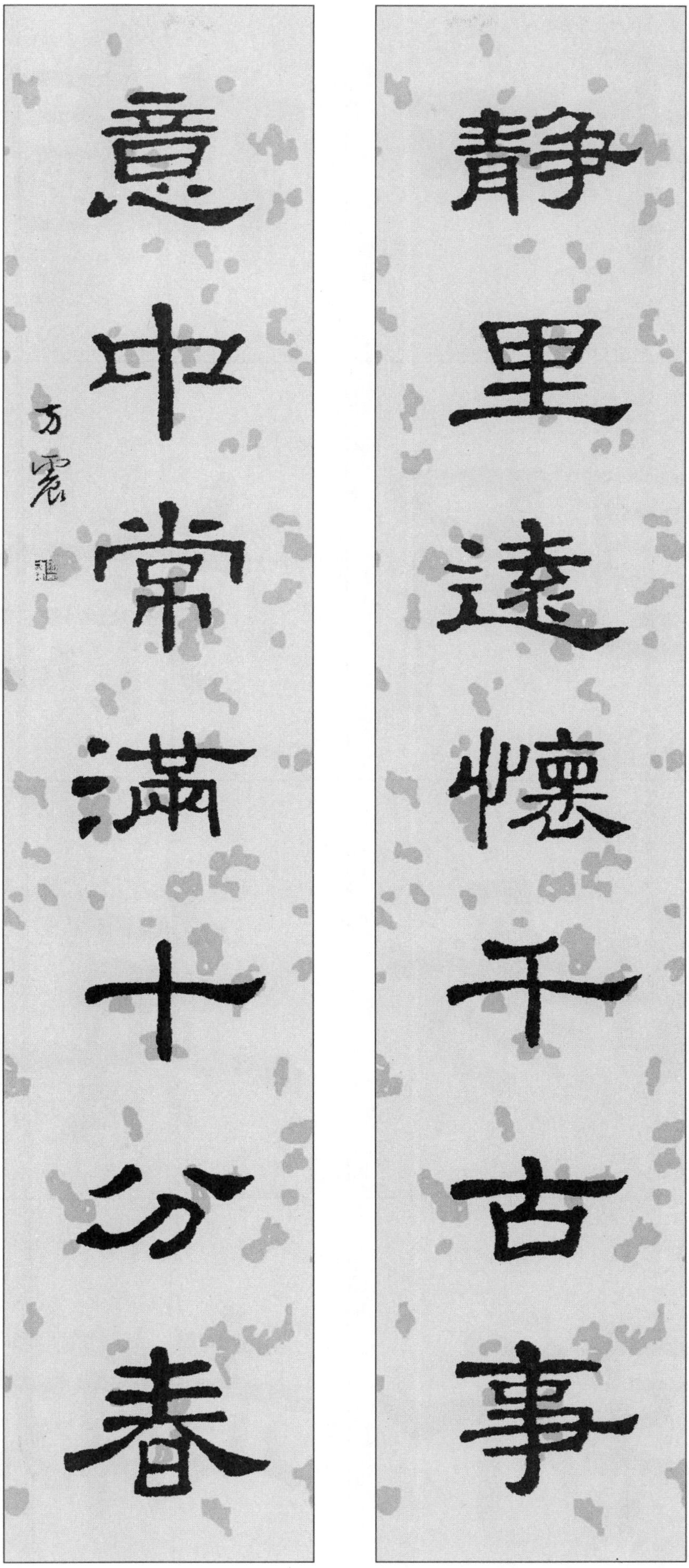
静里遠懷千古事
意中常滿十分春
方震

脩崇其趣

和朗暢斯

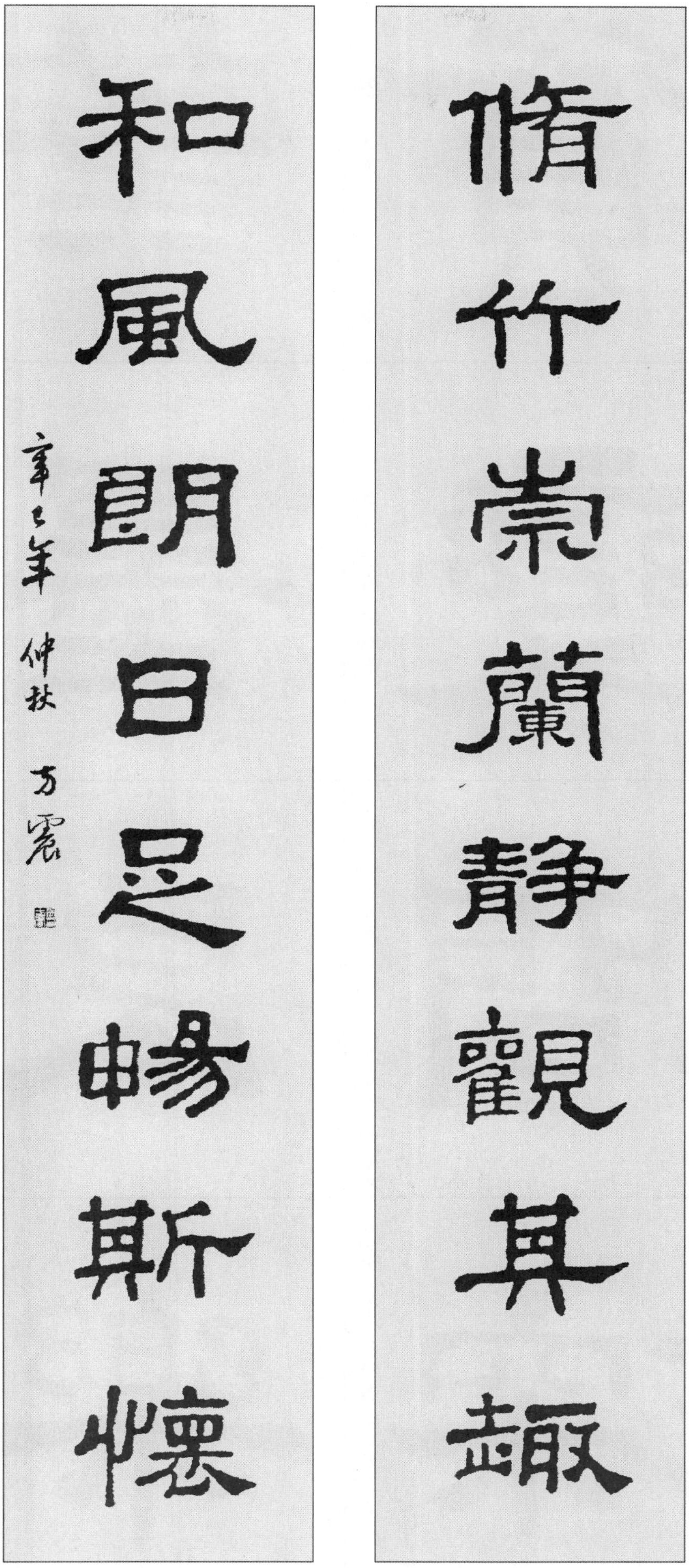
脩竹崇蘭靜觀其趣
和風朗日足暢斯懷
辛巳年仲秋 方震

筆墨良樂
質變問深

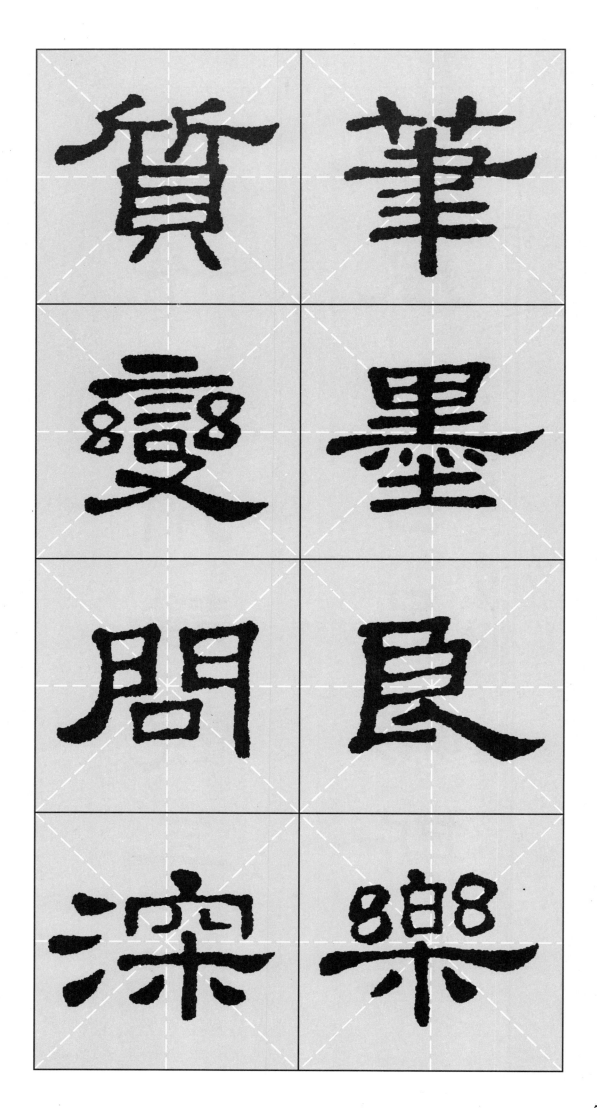

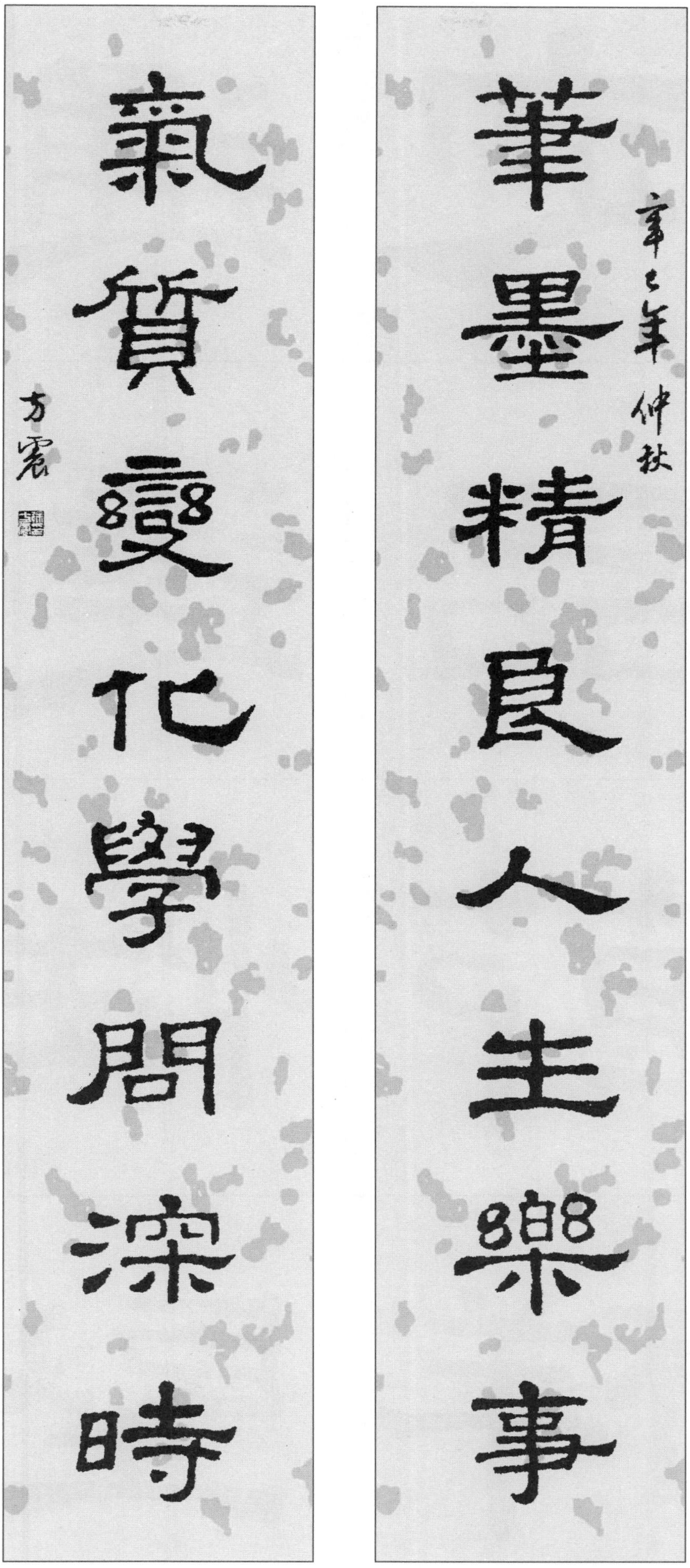
筆墨精良人生樂事
辛巳年仲秋
氣質變化學問深時
方震

通
達
性
堅
定
品
節
祥

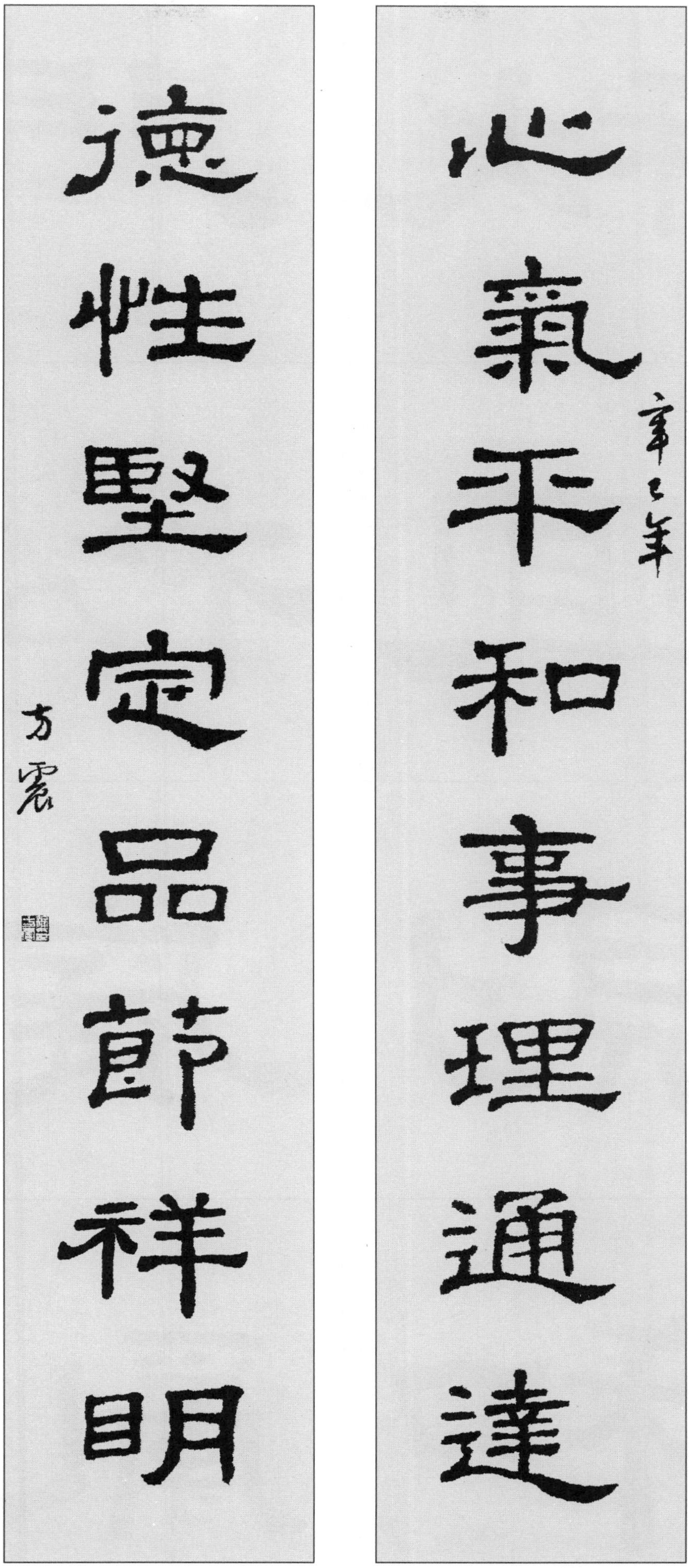
心氣平和事理通達
辛巳年
德性堅定品節祥明
方震

門松庭亂

秋宜則和

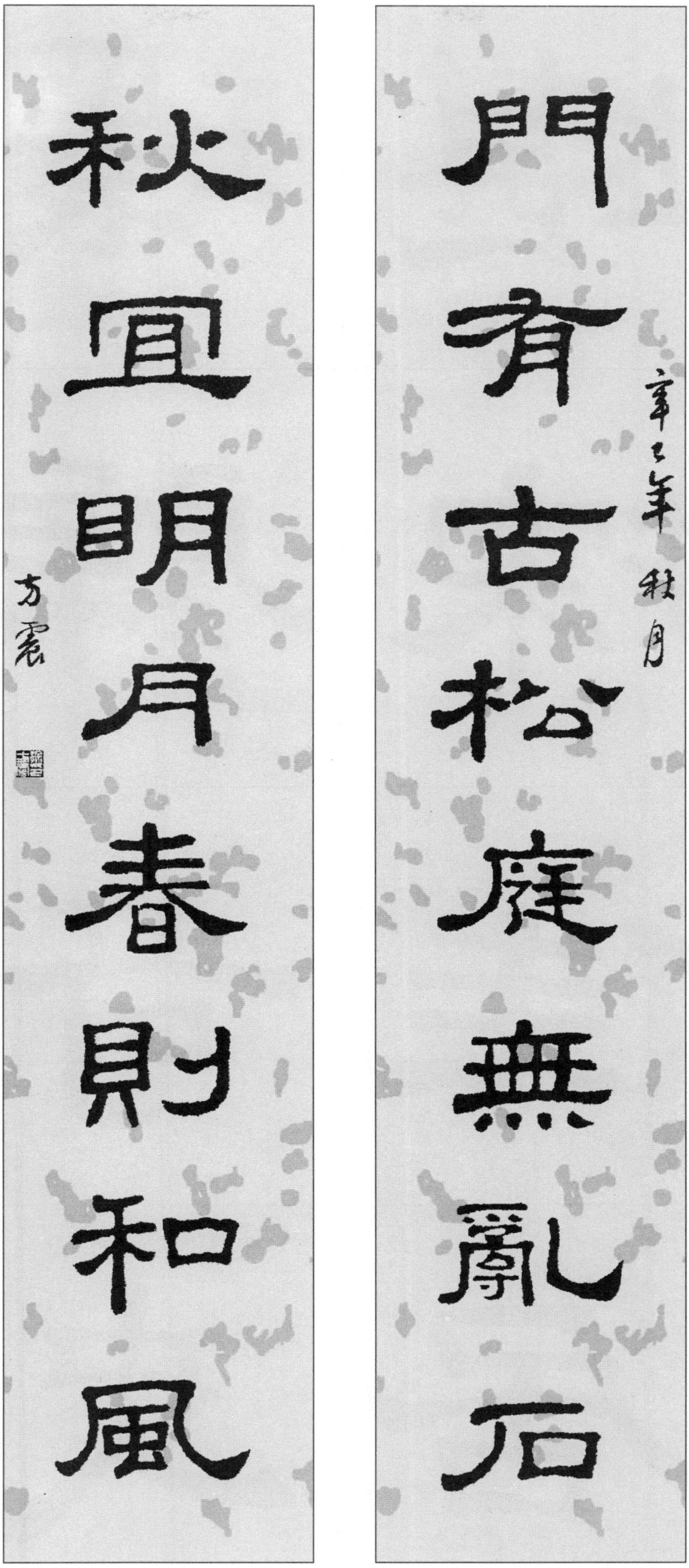
門有古松庭無亂石
辛巳年秋月
秋宜明月春則和風
方震

環
辟
奇
安

堪
探
佳
居

環璧列奇書有史

有文堪探討

辛巳年仲秋之夜

宜雨足安居

小樓多佳日宜風

上海徐方震集於

图书在版编目（C I P）数据

隶书集字对联：汉史晨碑 / 徐方震编. —上海：上海书画出版社，2002.1
（中国对联集字字帖系列）
ISBN 978-7-80672-156-8

Ⅰ. 隶… Ⅱ. 徐… Ⅲ. 隶书—法帖—中国—东汉时代
Ⅳ. J292.22

中国版本图书馆CIP数据核字（2008）第016676号

中国对联集字字帖系列

隶书集字对联
汉 史晨碑

徐方震 编

出版发行 上海书画出版社
地址 上海市延安西路593号 200050
网址 www.shshuhua.com
E-mail shcpph@online.sh.cn
印刷 上海肖华印务有限公司
经销 各地新华书店
开本 787×1092 1/12
印张 7.33
版次 2002年1月第1版 2018年6月第14次印刷
书号 **ISBN 978-7-80672-156-8**
定价 **20.00元**